안도현 시
1961년 경상북도 예천에서 태어났습니다. 1981년 〈매일신문〉 신춘문예에 시가 당선되어 등단했습니다.
《서울로 가는 전봉준》을 비롯해 11권의 시집을 냈습니다.
《나무 잎사귀 뒤쪽 마을》, 《냠냠》, 《기러기는 차갑다》, 《나는 내가 누구인지 몰라》 등의 동시집과 다수의 동화를 쓰기도 했으며,
100쇄를 넘긴 어른을 위한 동화 《연어》는 15개국의 언어로 해외에 번역 출간되었습니다.
소월시문학상, 백석문학상, 석정시문학상 등을 받았습니다. 현재 단국대학교 문예창작과 교수로 재직 중입니다.

온수 그림
어렸을 때 읽었던 동화책 같은 그림을 그리려고 합니다.
어린이를 위한 다양한 그림을 작업하고 있으며, 《밤은 아주 포근해》를 쓰고 그렸습니다.

안선재(앤서니 수사, Brother Anthony of Taizé) 번역
영국에서 태어나 옥스퍼드대학교에서 학위를 받고, 1994년에 우리나라로 귀화했으며,
대한민국문학상 번역부문 대상, 대산문학상 번역상, 한국펜클럽 번역상을 수상했고,
2008년 옥관문화훈장을 받았습니다.
고은 시인의 《만인보*Ten Thousand Lives*》 등 30권 이상의 한국 시와 소설의 영문 번역서를 냈습니다.

물꼬
Water Outlet

1판 1쇄 | 2024년 7월 24일

시 | 안도현
그림 | 온수
번역 | 안선재(Brother Anthony of Taizé)

펴낸이 | 박현진
펴낸곳 | (주)풀과바람
주소 | 경기도 파주시 회동길 329(서패동, 파주출판도시)
전화 | 031) 955-9655~6
팩스 | 031) 955-9657
출판등록 | 2000년 4월 24일 제20-328호
블로그 | blog.naver.com/grassandwind
이메일 | grassandwind@hanmail.net

편집 | 이영란
디자인 | 박기준
마케팅 | 이승민

값 14,000원
ISBN 979-11-7147-072-3 77810

※ 잘못 만들어진 책은 구입처에서 바꾸어 드립니다.

제품명 물꼬 | **제조자명** (주)풀과바람 | **제조국명** 대한민국
전화번호 031)955-9655~6 | **주소** 경기도 파주시 회동길 329
제조년월 2024년 7월 24일 | **사용 연령** 4세 이상
KC마크는 이 제품이 공통안전기준에 적합하였음을 의미합니다.

⚠ **주의**
어린이가 책 모서리에
다치지 않게 주의하세요.

안도현 시 · 온수 그림

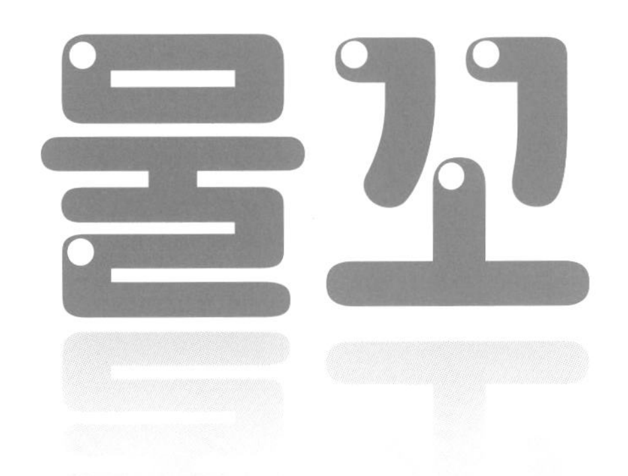

물꼬

바우솔

6
13
20
27

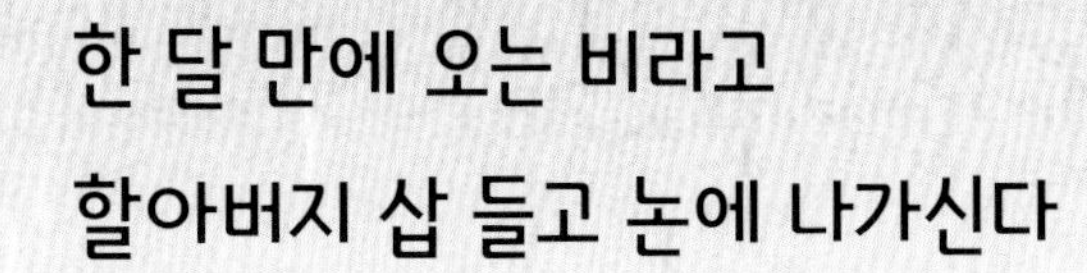

한 달 만에 오는 비라고

할아버지 삽 들고 논에 나가신다

물꼬 보러 간다 하신다

나는 혼자 물꼬를 생각했다

물꼬, 물꼬 자꾸 생각하니까

물꼬는 내 머릿속에서
개구리처럼 꼬륵거리기도 하고

고양이처럼 꼬리를
치켜올리기도 했다.

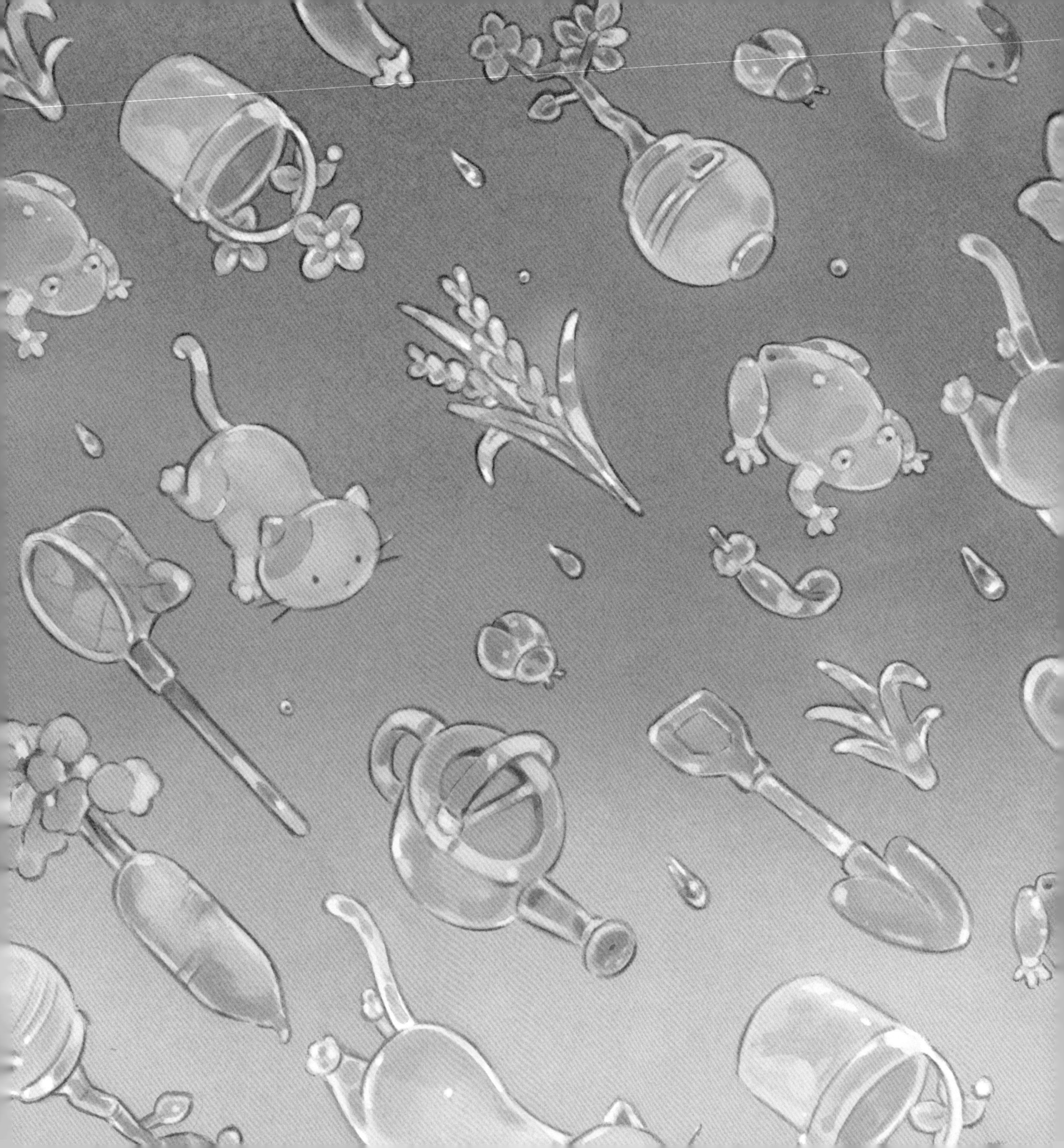

나는 결국 아무것도 알지 못하게 되었다.

논에서 돌아오신 할아버지
우의를 입었는데도
양쪽 어깨가 다 젖었다.

눈썹에도 빗방울이
대롱대롱 달렸다.

나는 물꼬에 대해 묻지 않았다.

나 혼자 알아내고 말 거야

논에 물꼬 보러 갔더니
비가 백만 원어치나 왔더라

할아버지는 시원하다며 몹시 좋아하셨다

물꼬, 물꼬가 뭐기에

나는 물에도 똥꼬가 있나, 하고
처마 끝 빗줄기를 오래 바라보았다.

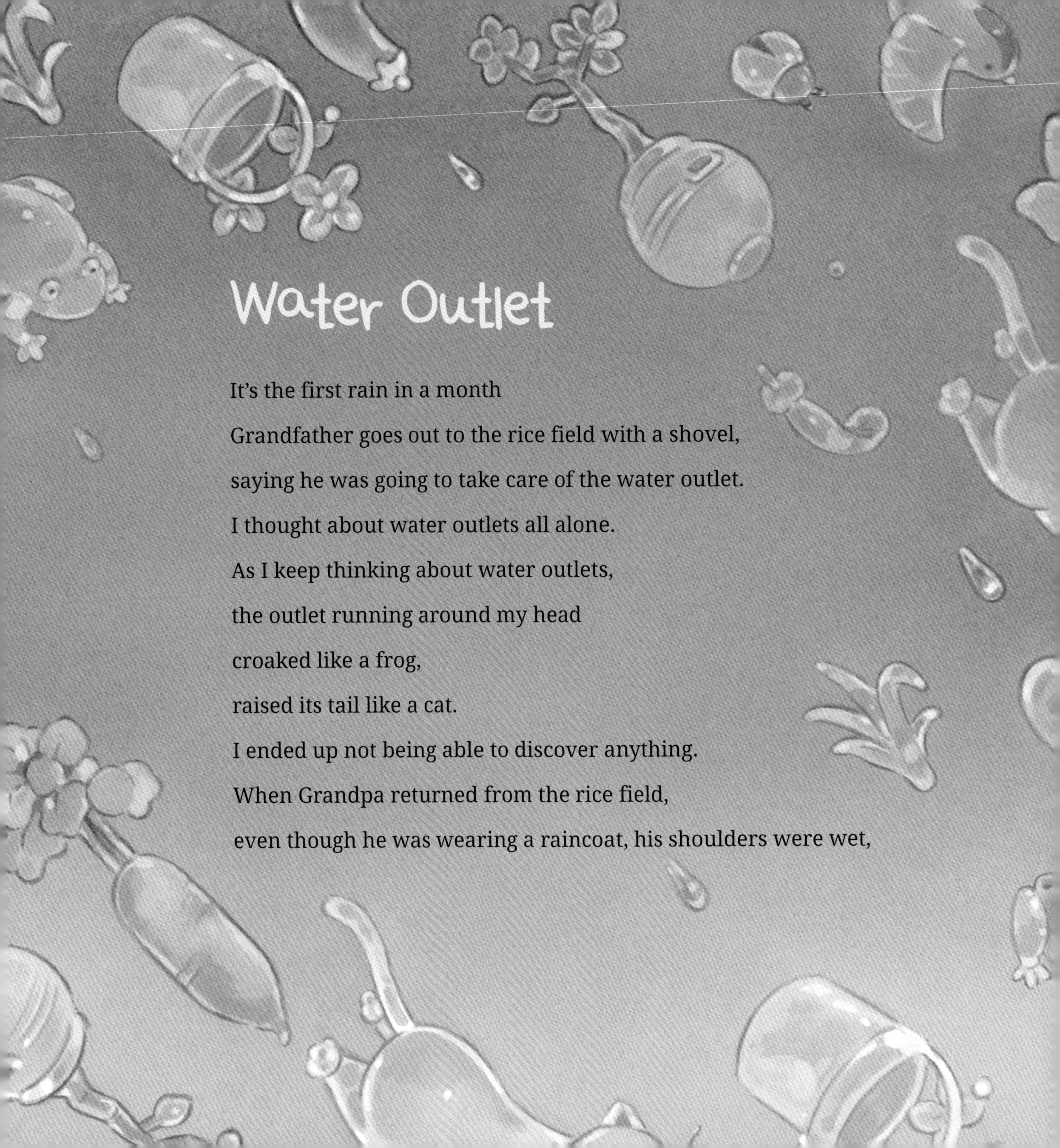

Water Outlet

It's the first rain in a month
Grandfather goes out to the rice field with a shovel,
saying he was going to take care of the water outlet.
I thought about water outlets all alone.
As I keep thinking about water outlets,
the outlet running around my head
croaked like a frog,
raised its tail like a cat.
I ended up not being able to discover anything.
When Grandpa returned from the rice field,
even though he was wearing a raincoat, his shoulders were wet,

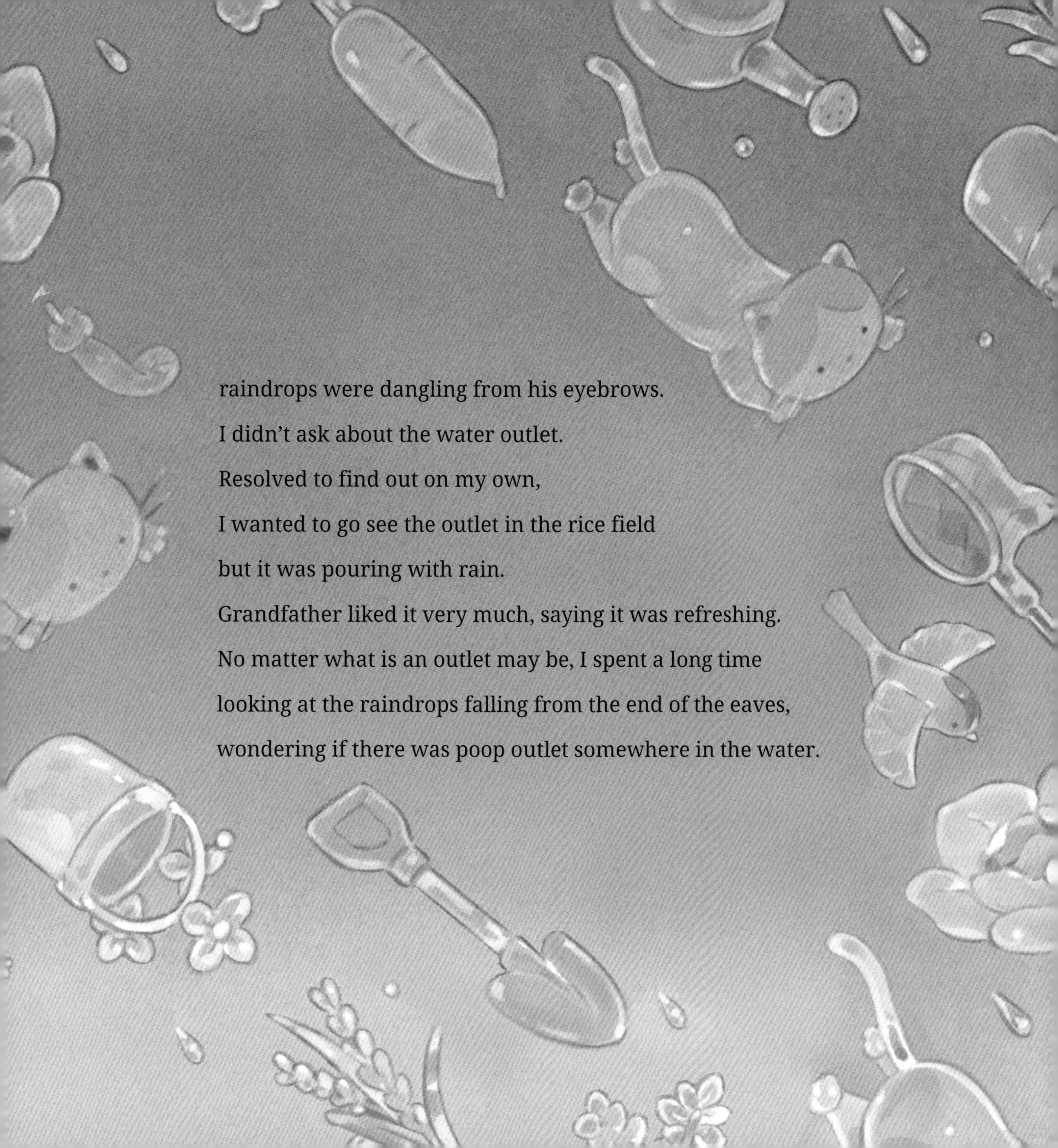

raindrops were dangling from his eyebrows.
I didn’t ask about the water outlet.
Resolved to find out on my own,
I wanted to go see the outlet in the rice field
but it was pouring with rain.
Grandfather liked it very much, saying it was refreshing.
No matter what is an outlet may be, I spent a long time
looking at the raindrops falling from the end of the eaves,
wondering if there was poop outlet somewhere in the water.

물꼬 : 논에 물이 넘어오거나 나가도록 만든 좁은 길.